읽기만 해도 저절로 외워지는
기적의 단어 암기법

★5초 영단어 암기법★

potential = 잠재적인

dominant = 지배적인

grin = 활짝 웃다

영어 단어

외우고, 잊어버리고,

다시 외우고, 또 잊어버리고,...

영어 단어를 오랫동안 기억할 수 있는

방법은 없을까?

그래서 저 Nick 쌤이

<u>오랫동안 기억할 수 있는 방법</u>을

만들었습니다. **(장기 기억, 제가 책임집니다!!)**

단어 1개 외우는 시간 5초!!!!!
<5초 영단어 암기법>

<Guide>

★ 단어 암기법 (예) tingle 발음 : 팅거 / 뜻 : 따끔거린다
팅거따 팅거따 *팅따, 팅따* (팅거따를 줄이면 팅따)
스토리 암기법 (팅~ 주사가 팅겨서 따끔거린다)

★ 왜 5초 암기법?
"팅~ 주사가 팅겨서 따끔거린다"
이 스토리를 말하는 데 5초가 걸리기 때문입니다.

(나중에 시간이 지나서) tingle가 무슨 뜻이지? 팅~ 주사가 팅겨서 따끔거린다,
팅거(tingle) = 따끔거린다, 이렇게 떠오를 것입니다.

(나중에 시간이 지나서) 잠재적인이 영어로 뭐지? 잠만 퍼잠 잠재력이 생김?
퍼 = 퍼텐셔(potential), 이렇게 떠오를 것입니다.

★ "나중에 시간이 지나서"이 말은 평생 동안을 말합니다. 암기법 없이 단어를 외우는
것은 사상누각에 불과합니다. 영구적인 기억으로 만들기 위해서는 스토리 암기법이
유일한 방법입니다.
우리가 백설 공주, 신데렐라 이야기를 절대로 잊어버리지 않는 이유가 바로 그것입니다.
스토리는 "가장 강력한 암기법"입니다.

★ 처음에는 스토리로 암기하는 것이 어색할 것입니다!!
하지만 곧 깨닫게 될 것입니다, 단어 암기가 매우 빨라지고 기억에 오래 남는 다는
것을. "퍼잠, 퍼잠" 이 부분을 읽으면서 스토리를 떠올리세요!!

★ 단어 암기 = 반복 학습이 필수 입니다!! = 계속 스토리를 떠올리세요!!

★ 이 책을 소리 내지 않고 눈으로만 읽어도 효과 있습니다!!
(소리 내어 읽으면 더욱 효과가 좋습니다!!)

★ 단어 암기에도 훈련이 필요합니다!! = 스토리를 떠올리는 것이 훈련입니다!!

★ 이 책처럼 자신의 단어장을 만들어 외우세요!!
(내신, 수능, 토익 등 각종 영어 시험 대비)

Contents <How to memorize English words for 5 seconds>

Contents <How to memorize English words for 5 seconds>

Contents <How to memorize English words for 5 seconds>

Contents <How to memorize English words for 5 seconds>

Contents <How to memorize English words for 5 seconds>

Contents <How to memorize English words for 5 seconds>

Contents <How to memorize English words for 5 seconds>

Contents <How to memorize English words for 5 seconds>

Contents ⟨How to memorize English words for 5 seconds⟩

Contents ⟨How to memorize English words for 5 seconds⟩

<단어 뜻 확인> (1~15) 뒤에 나오는 **스토리**를 떠올리세요!!

1	potential (잠재적인, 잠재력) 퍼텐셔 잠, 퍼텐셔 잠	★퍼잠, 퍼잠★ 잠만
2	volatile (휘발성의) 발러틸 휘, 발러틸 휘	★발휘, 발휘★ 실력
3	vigorous (강력한) 비거러스 강, 비거러스 강	★비강, 비강★ 비만
4	grin (활짝 웃다) 그린 활, 그린 활	★그활, 그활★ 그렇게
5	fleeting (순식간의, 지나가는) 쁠리팅 순지, 쁠리팅 순지	★쁠순지, 쁠순지★ 이쁠 때

6	sporadic (산발적인) 스뻐래딕 산, 스뻐래딕 산	★스산, 스산★ 스산한
7	versatile (다용도의) 벌써터 다, 벌써터 다	★벌다, 벌다★ 돈 벌다
8	indignant (분노한) 인딕넌트 분, 인딕넌트 분	★인분, 인분★ 몇 인분?
9	deflect (빗나가게 하다, 돌리다) 디쁠렉트 빗돌, 디쁠렉트 빗돌	★디빗돌, 디빗돌★ 뒤에
10	disperse (흩뿌리다) 디스펄스 흩, 디스펄스 흩	★디흩, 디흩★ 씨앗을

11	redundant (과잉의) 리던던 과, 리던던 과	★리과, 리과★ 우리
12	blunder (실수) 블런덜 실, 블런덜 실	★블실, 블실★ 불러도
13	posterity (후손) 파스테러티 후, 파스테러티 후	★파후, 파후★ 파 만진
14	infringe (위반하다) 인쁘린쥐 위, 인쁘린쥐 위	★인위, 인위★ 인간아
15	ancillary (보조의) 앤썰레리 보, 앤썰레리 보	★앤보, 앤보★ 앤은

스토리 암기법 (1~15) ♥스토리 암기법은 가장 강력한 암기법!♥	
1	【퍼잠】잠만 퍼잠 잠재력이 생김? potential
2	【발휘】실력 발휘 해 봐! 휘발성으로 날아가기 전에 volatile
3	【비강】비만은 강력한 운동이 필요하다 vigorous
4	【그활】그렇게 활짝 웃지마, 린 (Rynn) grin
5	【쁠순지】이쁠 때 소개팅 해라, 시간 순식간에 지나간다 (언니의 충고) fleeting
6	【스산】스산한 분위기, 산발적인 비 (호러 영화 이야기) sporadic
7	【벌다】돈 벌다 몸 망가진다, 다용도 아저씨 versatile
8	【인분】몇 인분? 3인분? 분노가 치밀어오른다 * 우린 4명인데 indignant
9	【디빗돌】디(뒤)에 빗이 있어? 빗나갔다, 뒤로 돌려봐! deflect
10	【디흩】씨앗을 디(되)게 펄펄 흩뿌리다 (농부 이야기) disperse
11	【리과】우리 과자 과잉으로 사자 (소풍 가는 아이들 이야기) redundant
12	【블실】블(불)러도 실실 웃는다, 실수하는 거다 blunder
13	【파후】파 만진 후 손으로 눈 비비면 후손을 못 본다, 그건 terror다 posterity
14	【인위】인간아, 위 보고 ㄷㅏ켜! 법 위반하지 말고 infringe
15	【앤보】앤(Ann)은 보조할 하인이 필요하다 ancillary

스토리 암기법 한 번 더!

스토리를 한 번 더 공부하세요! 그리고 단어 뜻을 말해보세요!

1	potential ★퍼잠, 퍼잠★	잠만 퍼잠 잠재력이 생김?
2	volatile ★발휘, 발휘★	실력 발휘 해봐, 휘발성으로 날아가기 전에
3	vigorous ★비강, 비강★	비만은 강력한 운동이 필요하다
4	grin ★그활, 그활★	그렇게 활짝 웃지마, 린(Rynn)
5	fleeting ★쁠순지, 쁠순지★	이쁠 때 소개팅 해라, 시간 순식간에 지나간다
6	sporadic ★스산, 스산★	스산한 분위기, 산발적인 비
7	versatile ★벌다, 벌다★	돈 벌다 몸 망가진다, 다용도 아저씨
8	indignant ★인분, 인분★	몇 인분? 3인분? 분노가 치밀어 오른다
9	deflect ★디빗돌, 디빗돌★	디(뒤)에 빗이 있어? 빗나갔다, 뒤로 돌려봐!
10	disperse ★디흘, 디흘★	씨앗을 디게 펄펄 흩뿌리다
11	redundant ★리과, 리과★	우리 과자 과잉으로 사자
12	blunder ★블실, 블실★	블러도 실실 웃는다, 실수하는 거다
13	posterity ★파후, 파후★	파 만진 후 손으로 눈 비비면 후손을 못 본다, 그건 terror다
14	infringe ★인위, 인위★	인간아, 위 보고 다녀! 법 위반하지 말고
15	ancillary ★앤보, 앤보★	앤은 보조할 하인이 필요하다

16	transient (일시적인) 츄랜션트 일, 츄랜션트 일	★츄일, 츄일★ 추워?
17	exert (발휘하다) 익절트 발, 익절트 발	★익발, 익발★ 고기
18	optimal (최적의) 압터머 최, 압터머 최	★압최, 압최★ 압력
19	undermine (약하게 하다) 언덜마인 약, 언덜마인 약	★언약, 언약★ 언니를
20	compel (강요하다) 컴펠 강, 컴펠 강	★컴강, 컴강★ 컴퓨터

21	interpersonal (대인 관계의) 인털펄써너 대, 언털펄써너 대	★인대, 인대★ 인간 대
22	intuition (직관) 인튜이션 직, 인튜이션 직	★인직, 인직★ 인간 투시
23	render (만들다) 렌덜 만, 렌덜 만	★렌만, 렌만★ 사이렌
24	encumber (방해하다) 인컴벌 방, 인컴벌 방	★인방, 인방★ 인방
25	vanquish (패배시키다) 뱅퀴쉬 패, 뱅퀴쉬 패	★뱅패, 뱅패★ 귀에 뱅뱅

26	wither (시들다) 위덜 시, 위덜 시	★위시, 위시★ 위에는
27	crumble (부서지다) 크럼버 부, 크럼버 부	★크부, 크부★ 크게
28	phase (시기) 페이즈 시, 페이즈 시	★페시, 페시★ 빼빼로가
29	reservoir (저수지) 레절발 저, 레절발 저	★레저, 레저★ 노래를
30	tolerance (관용, 내성) 탈러런스 관성, 탈러런스 관내	★탈관내, 탈관내★ 사 딜러면

	스토리 암기법 (16~30) ♥스토리 암기법은 가장 강력한 암기법!♥
16	【츄일】 츄(추)워? 일시적인 기분이야, 곧 션~ 해 질 거야 (시원해 질 거야) transient
17	【익발】 고기 절대 안 익어? 실력 발휘해 봐! (고기 먹는 친구들 이야기) exert
18	【압최】 압력 최적으로 올려! optimal
19	【언약】 (우리) 언니를 덜 약하게 해주세요! (기도 이야기) undermine
20	【컴강】 컴퓨터 사라고 강요하지마! compel
21	【인대】 인간 대 인간으로 터놓고 대인 관계 얘기하자 interpersonal
22	【인직】 인간 투시 능력(은) (곧) 직관 intuition
23	【렌만】 사이렌 들린다, 길 만들어! (도로 운전자들 이야기) render
24	【인방】 인방 찍을 때 방해하지마! encumber
25	【뱅이】 귀에 뱅뱅 도는 모기, 패배시켜라! vanquish
26	【위시】 위에는 (그나마) 덜 시듦 wither
27	【크부】 크게 부서진다 crumble
28	【뻬시】 빼빼로가 잘 팔리는 시기 (빼빼로 데이) phase
29	【레저】 노레(래)를 저수지에서 부른다 reservoir
30	【탈관내】(남의) 차 (얻어) 탈려면 관용을 베풀어라, 내성도 강해야 한다 tolerance

16	transient ★츄일, 츄일★ 츄(추)워? 일시적인 기분이야, 곧 션~ 해 질 거야
17	exert ★익발, 익발★ 고기 절대 안 익어? 실력 발휘해 봐!
18	optimal ★압최, 압최★ 압력 최적으로 올려!
19	undermine ★언약, 언약★ 언니를 덜 약하게 해주세요!
20	compel ★컴강, 컴강★ 컴퓨터 사라고 강요하지마!
21	interpersonal ★인대, 인대 ★ 인간 대 인간으로 터놓고 대인 관계 얘기하자
22	intuition ★인직, 인직★ 인간 투시 능력(은) (곧) 직관
23	render ★렌만, 렌만★ 사이렌 들린다, 길 만들어!
24	encumber ★인방, 인방★ 인방 찍을 때 방해하지마!
25	vanquish ★뱅패, 뱅패★ 귀에 뱅뱅 도는 모기, 패배시켜라!
26	wither ★위시, 위시★ 위에는 덜 시듦
27	crumble ★크부, 크부★ 크게 부서진다
28	phase ★뻬시, 뻬시★ 빼빼로가 잘 팔리는 시기
29	reservoir ★레저, 레저★ 노레(래)를 저수지에서 부른다
30	tolerance ★탈관, 탈관★ 차 탈려면 관용을 베풀어라, 내성도 강해야 한다

<단어 뜻 확인> (31~45) 뒤에 나오는 **스토리**를 떠올리세요!!

31	inequality (불평등) 이니퀄러티 불, 이니퀄러티 불	★이불, 이불★ 이 판사
32	nurture (양육하다) 널철 양, 널철 양	★널양, 널양★ 널 철처럼
33	statistic (통계) 스떠티스띡 통, 스떠티스틱 통	★스통, 스통★ 스웨덴
34	forage (찾아다니다) 뽈지 찾, 뽈지 찾	★뽈찾, 뽈찾★ 뽈뽈
35	insurance (보험) 인슈런스 보, 인슈런스 보	★인보, 인보★ 인생에는

36	allocate (할당하다) 앨러케잇 할, 앨러케잇 할	★앨할, 앨할★ Alice는
37	intrinsic (본질적인) 인츄린씩 본, 인츄린씩 본	★인본, 인본★ 인간은
38	sniff (냄새 맡다) 스닢 냄, 스닢 냄	★스냄, 스냄★ 스프는
39	dominant (지배적인) 다머넌 지, 다머넌 지	★다지, 다지★ 다 니가
40	induce (유도하다) 인듀스 유, 인듀스 유	★인유, 인유★ 인위적으로

41	admonish (훈계하다) 얻마니쉬 훈, 얻마니쉬 훈	★얻훈, 얻훈★ 얻어 맞지
42	alienate (소외시키다) 에일리어네잇 소, 에일리어네잇 소	★에소, 에소★ 애를
43	bizarre (특이한) 비잘 특, 비잘 특	★비특, 비특★ 비와도
44	subdue (억제하다) 썹듀 억, 썹듀 억	★썹억, 썹억★ 섭이네
45	embed (새겨넣다) 임벧 새, 임벧 새	★임새, 임새★ 임시로

	스토리 암기법 (31~45) ♥스토리 암기법은 가장 강력한 암기법!♥
31	【이불】이 판사 불공평하다 inequality
32	【널양】널 철처럼 강하게 양육한 사람 (누구?) nurture
33	【스통】스웨덴, 통계적으로 복지 국가 statistic
34	【뽈찾】뽈뽈 거리며 찾아다니다가 쓰러진다 forage
35	【인보】인생에는 보험이 필요하다, 슈얼! (sure) * sure = 확실히 insurance
36	【앨할】앨리스(Alice)는 일 할당해줘도 안 한다 allocate
37	【인본】인간은 본질적으로 씩씩하다 intrinsic
38	【스냄】스프에서 스프 냄새 맡다 sniff
39	【다지】다 니가 지배하려 하지마! dominant
40	【인유】인위적으로 유도하지마! induce
41	【얻훈】얻어 맞지 말고 훈계를 해! admonish
42	【에소】에(애)를 소외시키지 마! alienate
43	【비특】비와도 잘나가는 특이한 차 (차 광고 이야기) bizarre
44	【썹억】썹(섭)이네 유튜브, (재밌어서) 억제가 안 된다 subdue
45	【임새】임시로 새겨넣다, bed에 * bed : 침대 embed

31	inequality ★이불, 이불★ 이 판사 불공평하다
32	nurture ★널양, 널양★ 널 철처럼 강하게 양육한 사람
33	statistic ★스통, 스통★ 스웨덴, 통계적으로 복지 국가
34	forage ★뽈찾, 뽈찾★ 뽈뽈 거리며 찾아다니다가 쓰러진다
35	insurance ★인보, 인보★ 인생에는 보험이 필요하다, surely!
36	allocate ★앨할, 앨할★ 앨리스(Alice)는 일 할당해줘도 안 한다
37	intrinsic ★인본, 인본★ 인간은 본질적으로 씩씩하다
38	sniff ★스냄, 스냄★ 스프에서 스프 냄새 맡다
39	dominant ★다지, 다지★ 다 니가 지배하려 하지마!
40	induce ★인유, 인유★ 인위적으로 유도하지마!
41	admonish ★얻훈, 얻훈★ 얻어 맞지 말고 훈계를 해!
42	alienate ★에소, 에소★ 에(애)를 소외시키지 마!
43	bizarre ★비특, 비특★ 비 와도 잘나가는 특이한 차
44	subdue ★썹억, 썹억★ 썹(섭)이네 유튜브, 억제가 안 된다
45	embed ★임새, 임새★ 임시로 새겨넣다, bed에

<단어 뜻 확인> (46~60) 뒤에 나오는 **스토리**를 떠올리세요!!

46	intensify (강화하다) 인텐써빠이 강, 인텐써빠이 강	★인강, 인강★ 인강은
47	obese (비만의) 오비스 비, 오비스 비	★오비, 오비★ 오!
48	elicit (끌어내다) 일리씻 끌, 일리씻 끌	★일끌, 일끌★ 일로
49	ambiguous (모호한) 앰비규어스 모, 앰비규어스 모	★앰모, 앰모★ 앰지(MZ)
50	expenditure (지출) 익스뻰디춀 지, 익스뻰디춀 지	★익지, 익지★ 안 익은

51	indigenous (토착의) 인디쥐너스 토, 인디쥐너스 토	★인토, 인토★ 인디언
52	refine (개선하다) 리빠인 개, 리빠인 개	★리개, 리개★ 우리가
53	transaction (거래) 츄랜쎅션 거, 츄랜쎅션 거	★츄거, 츄거★ 추운데서
54	credibility (신뢰성) 크레더빌러티 신, 크레더빌러티 신	★크신, 크신★ 하나님의
55	refugee (난민) 레쀼지 난, 레쀼지 난	★레난, 레난★ 모래

56	reluctant (꺼리는) 릴럭튼 꺼, 릴럭튼 꺼	★릴꺼, 릴꺼★ 어릴 때
57	revenue (수익) 레버뉴 수, 레버뉴 수	★레수, 레수★ 모래
58	criterion (기준) 크라이티어리언 기, 크라이티어리언 기	★크기, 크기★ 크기는
59	interactive (상호적인) 인터랙팁 상, 인터랙팁 상	★인상, 인상★ 인터넷은
60	liberate (자유롭게 하다) 리버레잇 자, 리버레잇 자	★리자, 리자★ 우리

스토리 암기법 (46~60) ♥스토리 암기법은 가장 강력한 암기법!♥	
46	【인강】 인강은 날 강화시킨다 (인강 듣는 수험생 이야기) intensify
47	【오비】 오! 비만을 어찌할까 obese
48	【일끌】 일로 (이리로) 끌어오지마 elicit
49	【앰모】 앰지(MZ) 세대, 모호하다 (이해하기에) ambiguous
50	【익지】 안 익은 고기 먹으면 병원비 지출 생긴다 expenditure
51	【인토】 인디언 토착민도 토율은 쉽게 해라! indigenous
52	【리개】 우리가 개선할 fine한 방법 * fine : 좋은 refine
53	【츄거】 츄(추)운데서 거래 못함 transaction
54	【크신】 하나님의 크신 사랑, 신뢰가 간다 (기독교인 이야기) credibility
55	【레난】 모레(래) 위 난민 refugee
56	【릴꺼】 (그녀는) 어릴 때 사진 보여 주기 꺼린다 (성형 수술 이야기) reluctant
57	【레수】 모레 수익을 어떻게 알아 revenue
58	【크기】 크기는 기준이 있어야 한다 criterion
59	【인상】 인터넷은 상호 관계 tip을 알려준다 interactive
60	【리자】 우리 서로 자유롭게 놓아주자 (이별하는 연인 이야기) liberate

46	intensify ★인강, 인강★ 인강은 날 강화시킨다
47	obese ★오비, 오비★ 오! 비만을 어찌할까
48	elicit ★일끌, 일끌★ 일로 끌어오지마
49	ambiguous ★앰모, 앰모★ 앰지(MZ) 세대, 모호하다
50	expenditure ★익지, 익지★ 안 익은 고기 먹으면 병원비 지출 생긴다
51	indigenous ★인토, 인토★ 인디언 토착민도 토욜은 쉬게 해라!
52	refine ★리개, 리개★ 우리가 개선할 fine한 방법
53	transaction ★츄거, 츄거★ 츄운데서 거래 못함
54	credibility ★크신, 크신★ 하나님의 크신 사랑, 신뢰가 간다
55	refugee ★레난, 레난★ 모레(래) 위 난민
56	reluctant ★릴꺼, 릴꺼★ 어릴 때 사진 보여 주기 꺼린다
57	revenue ★레수, 레수★ 모레 수익을 어떻게 알아
58	criterion ★크기, 크기★ 크기는 기준이 있어야 한다
59	interactive ★인상, 인상★ 인터넷은 상호 관계 tip을 알려준다
60	liberate ★리자, 리자★ 우리 서로 자유롭게 놓아주자

<단어 뜻 확인> (61~75) 뒤에 나오는 **스토리**를 떠올리세요!!

61	needy (궁핍한) 니디 궁, 니디 궁	★니궁, 니궁★ 니같이
62	oblivion (망각) 어블리비언 망, 어블리비언 망	★어망, 어망★ 리모콘
63	plunder (약탈하다) 플런덜 약, 플런덜 약	★플약, 플약★ 이플 때
64	preach (설교하다) 프리치 설, 프리치 설	★프설, 프설★ 프라다
65	relegate (강등시키다) 렐러게잇 강, 렐러게잇 강	★렐강, 렐강★ 엄브렐러

66	vegetation (초목) 베저테이션 초, 베저테이션 초	★베초, 베초★ 베어야 할
67	explicit (명백한) 익스플리씻 명, 익스플리씻 명	★익명, 익명★ 익스프레스는
68	hinder (방해하다) 힌덜 방, 힌덜 방	★힌방, 힌방★ 흰 티는
69	retrieve (회수하다) 리츄립 회, 리츄립 회	★리회, 리회★ 우리 츄리
70	compensation (보상) 캄펜쎄이션 보, 캄펜쎄이션 보	★캄보, 캄보★ 캄보디아에서

71	flourish (번창하다) 쁠러리쉬 번, 쁠러리쉬 번	★쁠번, 쁠번★ 사슴 뿔로
72	friction (마찰) 쁘릭션 마, 쁘릭션 마	★쁘마, 쁘마★ 이쁘리~
73	integrate (통합하다) 인터그레잇 통, 인터그레잇 통	★인통, 인통★ 인터넷을
74	interference (방해) 인터쁴어런스 방, 인터쁴어런스 방	★인방, 인방★ 인방할 때
75	maneuver (책략) 머뉴벌 책, 머뉴벌 책	★머책, 머책★ 머? 벌써

스토리 암기법 (61~75) ♥스토리 암기법은 가장 강력한 암기법!♥	
61	【니궁】 니같이 궁핍한 애 싫다 needy
62	【어망】 리모콘 어디 뒀지? 망각 왔나? oblivion
63	【플약】 아플 때 약 약탈한다, 더라 plunder
64	【프설】 프라다, 명품이라고 설교하지마! 치~ (나도 안다고!) preach
65	【렐강】 엄브렐러 (회사는), 그녀를 강등시켰다 (레지던트 이블) relegate
66	【베초】 베어야 할 초목을 베어라 (나뭇꾼의 가르침) vegetation
67	【익명】 익스프레스(express) 명백히 빠르다! * express = 급행 explicit
68	【힌방】 힌(흰)티는 방해된다, 더라 hinder
69	【리회】 우리 츄리(tree) 회수하자! eve날에 retrieve
70	【캄보】 캄보디아에서 편한 보상? (꿈도 꾸지마!) compesation
71	【쁠번】 사슴 쁠(뿔)로 번창하는 She (불법으로 돈 버는 그녀) flourish
72	【쁘마】 (수술하면) 이쁘리~ 근데 (수술해도) 안 이쁘면 마찰 생긴다 friction
73	【인통】 인터넷을 통합하그레이~ integrate
74	【인방】 (사람들은 내가) 인방할 때 fear를 느껴 방해한다 interference
75	【머책】 머? 벌써 뉴(new) 책략이 필요하다고? (제갈공명의 고민) maneuver

스토리 암기법 (61~75) ♥스토리 암기법은 가장 강력한 암기법!♥

61	needy ★니궁, 니궁★ 니같이 궁핍한 애 싫다
62	oblivion ★어망, 어망★ 리모콘 어디 뒀지? 망각 왔나?
63	plunder ★플약, 플약★ 아플 때 약 약탈한다 더라
64	preach ★프설, 프설★ 프라다, 명품이라고 설교하지마! 치~ (나도 안다고!)
65	relegate ★렐강, 렐강★ 엄브렐러, 그녀를 강등시켰다
66	vegetation ★베초, 베초★ 베어야 할 초목을 베어라
67	explicit ★익명, 익명★ 익스프레스는 명백히 빠르다!
68	hinder ★힌방, 힌방★ 힌휜(티)는 방해된다, 더라
69	retrieve ★리회, 리회★ 우리 츄리 회수하자! eve날에
70	compensation ★캄보, 캄보★ 캄보디아에서 편한 보상?
71	flourish ★쁠번, 쁠번★ 사슴 쁠(뿔)로 번창하는 She
72	friction ★쁘마, 쁘마★ 이쁘리~ 근데 안 이쁘면 마찰 생긴다
73	integrate ★인통, 인통★ 인터넷을 통합하그레이~
74	interference ★인방, 인방★ 인방할 때 fear 느껴 방해한다
75	maneuver ★머책, 머책★ 머? 벌써 뉴(new) 책략이 필요하다고?

76	jeopardize (위태롭게 하다)	★제위, 제위★
	제펄다이즈 위, 제펄다이즈 위	재
77	lurk (잠복하다)	★럴잠, 럴잠★
	럴크 잠, 럴크 잠	그럴 때
78	maternity (모성)	★머모, 머모★
	머털너티 모, 머털너티 모	머리
79	mischievous (장난이 심한)	★미장, 미장★
	미스치버스 장, 미스치버스 장	미치겠다
80	arbitrary (임의의)	★알임, 알임★
	알비츄러리 임, 알비츄러리 임	알아서

81	evaporate (증발하다)	★이증, 이증★
	이배퍼레잇 증, 이배퍼레잇 증	입에 있는
82	evoke (불러 일으키다)	★이불, 이불★
	이보크 불, 이보크 불	이보게
83	transition (전환)	★츄전, 츄전★
	츄랜지션 전, 츄랜지션 전	추우면
84	scarcity (부족)	★스부, 스부★
	스께얼써티 부, 스께얼써티 부	스님 부식
85	suburb (교외)	★써교, 써교★
	써벌브 교, 써벌브 교	써봐

86	subordinate (아래의)	★써아, 써아★
	써볼더넛 아, 써볼더넛 아	써보려는
87	accommodate (적응시키다, 수용하다)	★어적수, 어적수★
	어카머데잇 적수, 어카머데잇 적수	어? 적수가
88	devastate (파괴하다)	★데파, 데파 ★
	데버스떼잇 파, 데버스떼잇 파	데이트
89	discord (불화)	★디불, 디불★
	디스콜드 불, 디스콜드 불	디게
90	fabricate (위조하다)	★뻬위, 뻬위★
	뻬브러케잇 위, 써뻬브러케잇 위	빼빼로는

	스토리 암기법 (76~90) ♥스토리 암기법은 가장 강력한 암기법!♥
76	【제위】 제(재) (사람들을) 위태롭게 한다 (FBI 요주의 인물 이야기) jeopardize
77	【럴잠】 그럴 때 잠복한다 (베테랑 형사 이야기) lurk
78	【머모】 머리 털 나고 너 같은 모성애 처음 봄 (지독한 모성애 이야기) maternity
79	【미장】 미치겠다 (얘들은) 장난이 너무 심하다! (어린이집 선생님 이야기) mischievous
80	【알임】 알아서 하랬더니 임의로, 독단적으로 제멋대로 해? (화가 난 사장님 이야기) arbitrary
81	【이증】 입에(이배) 있는 물 백퍼 증발한다 evaporate
82	【이불】 이보게, 불러 일으켰으면 말해! evoke
83	【츄전】 츄(추)우면 전기 스위치 전환해 (난방으로) transition
84	【스부】 스님, 부식 부족해서 서리한다 scarcity
85	【써교】 써봐, 교외 사람들도 산다 (인기 있는 제품) suburb
86	【써아】 써보려는 아랫집 사람 subordinate
87	【어적수】 어? 적수가 없네? 적응시키고 수용할 적수가 없네? (어캄?) accommodate
88	【데파】 데이트 파괴(하는) 행동, bus나 state에서 하지마 * state : 국가 devastate
89	【디불】 디게 불화 많다, 코드가 안 맞다 discord
90	【뻬위】 뻬뻬로는 위에가 맛있다, 이 맛 위조할 수 없다, Kate fabricate

76	jeopardize ★제위, 제위★ **제(재) 위태롭게 한다**
77	lurk ★럴잠, 럴잠★ **그럴 때 잠복한다**
78	maternity ★머모, 머모★ **머리 털 나고 너 같은 모성애 처음 봄**
79	mischievous ★미장, 미장★ **미치겠다 장난이 너무 심하다!**
80	arbitrary ★알임, 알임★ **알아서 하랬더니 임의로 독단적으로 제멋대로 해?**
81	evaporate ★이증, 이증★ **이베(입에) 있는 물 백퍼 증발한다**
82	evoke ★이불, 이불★ **이보게, 불러 일으켰으면 말해!**
83	transition ★츄전, 츄전★ **츄우면 전기 스위치 전환해**
84	scarcity ★스부, 스부★ **스님, 부식 부족해서 서리한다**
85	suburb ★써보, 써보★ **써봐, 교외 사람들도 산다**
86	subordinate ★써아, 써아★ **써보려는 아랫집 사람**
87	accommodate ★어적수, 어적수★ **어? 적수가 없네?**
88	devastate ★데파, 데파★ **데이트 파괴 행동, bus나 state에서 하지마**
89	discord ★디불, 디불★ **디게 불화 많다, 코드가 안 맞다**
90	fabricate ★삐위, 삐위★ **삐삐로는 위에가 맛있다, 이 맛 위조할 수 없다, Kate**

91	lament (애도하다) 러멘트 애, 러멘트 애	★러애, 러애★ 러시아
92	liken (비유하다) 라이큰 비, 라이큰 비	★라비, 라비★ 라면 스프
93	raid (습격하다) 레잇 습, 레잇 습	★레습, 레습★ 모레
94	virtue (미덕) 벌츄 미, 벌츄 미	★벌미, 벌미★ 벌벌
95	acquisition (습득) 애퀴지션 습, 애퀴지션 습	★애습, 애습★ 애가

96	autonomous (자율의) 오타너머스 자, 오타너머스 자	★오자, 오자★ 오타
97	debris (잔해) 더브리 잔, 더브리 잔	★더잔, 더잔★ 더불어
98	deception (속임수) 디쎕션 속, 디쎕션 속	★디속, 디속★ 디게
99	equilibrium (평형) 이퀼리브리엄 평, 이퀼리브리엄 평	★이평, 이평★ 이 시소
100	fluctuate (변동하다) 쁠럭츄에잇 변, 알쁠럭츄에잇 변	★쁠변, 쁠변★ 이쁠

101	autocratic (독재적인) 오터크래틱 독, 오크래틱 독	★오독, 오독★ 오랫동안
102	intangible (무형의) 인탠저버 무, 인탠저버 무	★인무, 인무★ 인간, 선탠
103	integral (필수적인) 인터그러 필, 인터그러 필	★인필, 인필★ 인터넷 그림
104	legitimate (정당한) 리지터밋 정, 리지터밋 정	★리정, 리정★ 우리
105	affluent (풍부한) 애쁠루언트 풍, 애쁠루언트 풍	★애풍, 애풍★ 애들은

스토리 암기법 (91~105) ♥스토리 암기법은 가장 강력한 암기법!♥	
91	【러애】러시아 애도? (men~ crazy?) lament
92	【라비】라면 스프 비유하면 비상한 능력자 liken
93	【레습】모레 있을 습격, 대비해라 (군대 대장 이야기) raid
94	【벌미】(추위에) 벌벌 떨면서도 미덕을 행하라! (으~ 추워) (도덕 군자 이야기) virtue
95	【애습】애가 지갑 습득 (지서에 갖다 줘~) acquisition
96	【오자】오타 많다, 너 자율적으로 했지? autonomous
97	【더잔】더부러(더불어), 잔해 치우자 debris
98	【디속】디게 속임수 잘 쓴다, 쎄~하다 (영화 타짜 이야기) deception
99	【이평】이 시소 퀄리티 좋다, 평형이 맞다 (시소 회사 이야기) equilibrium
100	【쁠변】앞으로 이쁠 얼굴 변동시키지 마, 츄 (연예인 츄 이야기) fluctuate
101	【오독】오랫동안 터 잡은 독재자 autocratic
102	【인무】인간, 선탠(suntan)을 무형 될 때까지 한다 * 무형 = 형체가 없음 intangible
103	【인필】(현재는) 인터넷 그림이 필수 구려~ integral
104	【리정】우리 정당한 권리 있어도 그 터 못 쓴다, 미친다! (경매 실패자 이야기) legitimate
105	【애풍】애들은 상상력이 풍부하다 진짜루 affluent

91	lament ★러애, 러애★ 러시아 애도?
92	liken ★라비, 라비★ 라면 스프 비유하면 비상한 능력자!
93	raid ★레습, 레습★ 모레 습격, 대비해라
94	virtue ★벌미, 벌미★ 벌벌 떨면서도 미덕을 행하라
95	acquisition ★애습, 애습★ 애가 지갑 습득
96	autonomous ★오자, 오자★ 오타 많다, 너 자율적으로 했지?
97	debris ★더잔, 더잔★ 더부러 잔해 치우자
98	deception ★디속, 디속★ 디게 속임수 잘 쓴다, 쎄~하다
99	equilibrium ★이평, 이평★ 이 시소 퀄리티 좋다, 평형이 맞다
100	fluctuate ★쁠변, 쁠변★ 이쁠 얼굴 변동시키지 마, 츄
101	autocratic ★오독, 오독★ 오랫동안 터 잡은 독재자
102	intangible ★인무, 인무★ 인간, 선탠(suntan)을 무형 될 때까지 한다
103	integral ★인필, 인필★ 현재는 인터넷 그림이 필수 구려~
104	legitimate ★리정, 리정★ 우리 정당한 권리 있어도 그 터 못 쓴다, 미친다!
105	affluent ★애풍, 애풍★ 애들은 상상력이 풍부하다 진짜루

106	crave (갈망하다)	★크갈, 크갈★
	크레입 갈, 크레입 갈	키
107	freight (화물)	★쁘화, 쁘화★
	쁘레잇 화, 쁘레잇 화	Frank
108	reign (지배하다)	★레지, 레지★
	레인 지, 레인 지	레인을
109	abhor (혐오하다)	★앱혐, 앱혐★
	앱홀 혐, 앱홀 혐	앱에 있는
110	affiliate (제휴하다)	★어제, 어제★
	어삘리에잇 제, 어삘리에잇 제	어?

111	dignity (존엄)	★딕존, 딕존★
	딕너티 존, 딕너티 존	역경
112	fraction (부분)	★쁘부, 쁘부★
	쁘랙션 부, 쁘랙션 부	Free하게
113	gullible (쉽게 속는)	★걸쉽, 걸쉽★
	걸러버 쉽, 걸러버 쉽	걸리버
114	homogeneous (동종의)	★호동, 호동★
	호머지니어스 동, 호머지니어스 동	호동이
115	lethal (치명적인)	★리치, 리치★
	리더 치, 리더 치	리더의

116	retreat (후퇴하다)	★리후, 리후★
	리츄릿 후, 리츄릿 후	우리
117	screech (날카로운 소리를 내다)	★스날, 스날★
	스끄리취 날, 스끄리취 날	스크린
118	sedentary (앉아서 하는)	★쎄앉, 쎄앉★
	쎄던터리 앉, 쎄던터리 앉	쎄쎄쎄를
119	stubborn (고집 센)	★스고, 스고★
	스떠번 고, 스떠번 고	스타는
120	thrust (밀다)	★뜨밀, 뜨밀★
	뜨러스트 밀, 뜨러스트 밀	떠

	스토리 암기법 (106~120) ♥스토리 암기법은 가장 강력한 암기법!♥	
106	【크갈】 키 크기 갈망 * 키 작은 사람 이야기 crave	
107	【쁘화】 쁘랭크(Frank) 직업, 화물 기사래, 에이~ 아냐 (Frank 사기꾼 이야기) freight	
108	【레지】 레인(rain = 비)을 지배하는 김태희 reign	
109	【앱혐】 앱에 있는 혐오스런 영상, 헐~ abhor	
110	【어제】 어? 제휴할 삘(feel) 온다! (동업자 이야기) affiliate	
111	【딕존】 (역경) 딕고(딛고) 존엄 (찾기) dignity	
112	【쁘부】 쁘뤼(free)하게 이 부분 가져갈게~ (갑질 이야기) fraction	
113	【걸쉽】 걸리버, 쉽게 속는다 (쉽게 속는 걸리버) gulliber	
114	【호동】 호동이 동종 (업계) 유재석 homogeneous	
115	【리치】 리더(leader)의 치명적인 매력 lethal	
116	【리후】 우리 후퇴해서 츄릿(treat) 하자 (군인 이야기) * treat = 치료하다 retreat	
117	【스날】 스크린의 날카로운 소리, 치~ (영화관 알바 이야기) screetch	
118	【쎄앉】 쎄쎄쎄를 앉아서 한다고? 하던대로 해! (유치원 아이들 이야기) sedentary	
119	【스고】 스타(Star)는 고집이 세다, 번번이 (연예 기획사 이야기) stubborn	
120	【뜨밀】 뜨(떠) 밀지마! thrust	

106	crave ★크갈, 크갈★ 키 크기 갈망
107	freight ★쁘화, 쁘화★ 쁘랭크(Frank) 직업, 화물 기사래
108	reign ★레지, 레지★ 레인(rain = 비)을 지배하는 김태희
109	abhor ★앱험, 앱험★ 앱에 있는 혐오스런 영상, 헐~
110	affiliate ★어제, 어제★ 어? 제휴할 삘(feel) 온다!
111	dignity ★딕존, 딕존★ 역경 딕고(딛고) 존엄
112	fraction ★쁘부, 쁘부★ 쁘뤼(free)하게 이 부분 가져갈게~
113	gullible ★걸쉽, 걸쉽★ 걸리버, 쉽게 속는다 (쉽게 속는 걸리버)
114	homogeneous ★호동, 호동★ 호동이 동종 유재석
115	lethal ★리치, 리치★ 리더(leader)의 치명적인 매력
116	retreat ★리후, 리후★ 우리 후퇴해서 츄릿(treat) 하자
117	screetch ★스날, 스날★ 스크린 날카로운 소리, 치~
118	sedentary ★쎄앉, 쎄앉★ 쎄쎄쎄를 앉아서 한다고? 하던대로 해!
119	stubborn ★스고, 스고★ 스타(Star)는 고집이 세다, 번번이
120	thrust ★뜨밀, 뜨밀★ 뜨(떠) 밀지마!

121	alleviate (완화하다)	★얼완, 얼완★
	얼리비에잇 완, 얼리비에잇 완	early
122	commence (시작하다)	★커시, 커시★
	커멘스 시, 커멘스 시	크면
123	wrench (비틀다)	★렌비, 렌비★
	렌취 빌, 렌취 빌	렌치로
124	entreaty (간청)	★엔간, 엔간★
	엔츄리티 간, 엔츄리티 간	엔간히
125	appliance (전기 제품)	★어전, 어전★
	어플라이언스 전, 어플라이언스 전	어플로

126	attentive (주의 하는, 정중한)	★어주정, 어주정★
	어텐팁 주정, 어텐팁 주정	어!
127	aviation (항공)	★에항, 에항★
	에이비에이션 항, 에이비에이션 항	에이
128	communal (공동의)	★커공, 커공★
	커뮤너 공, 커뮤너 공	커서
129	comply (따르다)	★컴따, 컴따★
	컴플라이 따, 컴플라이 따	컴컴한
130	definitive (결정적인)	★디결, 디결★
	디삐니팁 결, 디삐니팁 결	디게

131	domesticate (사육하다)	★더사, 더사★
	더메스떠케잇 사, 더메스떠케잇 사	더
132	inhibit (방해하다)	★인방, 인방★
	인히빗 방, 인히빗 방	인방할 때
133	immerse (몰두하다)	★이몰, 이몰★
	이멀스 몰, 이멀스 몰	이렇게
134	obsession (강박 관념)	★업강, 업강★
	업쎼션 강 업쎼션 강	뭐든지
135	inhabitant (거주자)	★인거, 인거★
	인해빗은 거, 인해빗은 거	인해는

	스토리 암기법 (121~135) ♥스토리 암기법은 가장 강력한 암기법!♥
121	【얼완】얼리(early) 완화시켜준다 (약사 이야기) * early = 일찍 alleviate
122	【커시】커면(크면) 시작해! (스무살 되면!) commence
123	【렌비】렌치(wrench)로 비틀어! wrench
124	【엔간】엔간히 간청해! entreaty
125	【어전】어플로 움직이는 전기 제품? Lie! (과거에서 온 시간 여행자 이야기) appliance
126	【어주】어! 주의! 정중하게 말해야지 (tip 줬다) (연애 코치 이야기) attentive
127	【에항】에이, BC카드 안 되는 항공사, 비추 aviation
128	【커공】(너) 커서 (우리) 공동체 일원이 되어라! (될성부른 나무 떡잎 이야기) communal
129	【컴따】(인생이) 컴컴하고 아플 때 나를 따르라! (성경 이야기) comply
130	【디결】디게 피나게 결정한다 definitive
131	【더사】더(욱) 메(매) 사육해, Kate! (사육사 이야기) domesticate
132	【인방】인방할 때 방해하지마! (interfere = 방해하다) inhibit
133	【이몰】이렇게 멀미 나는데 몰두? immerse
134	【업강】뭐든지 없애 버리고 싶은 강박 관념 obsession
135	【인거】인해는 빚 없는 거주자 (부러운 이야기) inhabitant

121	alleviate ★얼완, 얼완★ 얼리(early) 완화시켜 준다
122	commence ★커시, 커시★ 커면(크면) 시작해
123	wrench ★렌비, 렌비★ 렌치(wrench)로 비틀어라!
124	entreaty ★엔간, 엔간★ 엔간히 간청해!
125	appliance ★어전, 어전★ 어플로 움직이는 전기 제품? Lie!
126	attentive ★어주, 어주★ 어! 주의! 정중하게 말해야지
127	aviation ★에항, 에항★ 에이, BC카드 안 되는 항공사, 비추
128	communal ★커공, 커공★ 커서 공동체 일원이 되어라!
129	comply ★컴따, 컴따★ 컴컴한 곳에서도 따르라!
130	definitive ★디결, 디결★ 디게 피나게 결정
131	domesticate ★더사, 더사★ 더 메(매) 사육해, Kate!
132	inhibit ★인방, 인방★ 인방할 때 방해하지마!
133	immerse ★이몰, 이몰★ 이렇게 멀미 나는데 몰두?
134	obsession ★업강, 업강★ 뭐든지 없애 버리고 싶은 강박 관념
135	inhabitant ★인거, 인거★ 인해는 빚 없는 거주자

<단어 암기> (136~150) 뒤에 나오는 **스토리**를 떠올리세요!!

136	naive (순진한)	★나순, 나순★
	나입 순, 나입 순	나이 먹고
137	peripheral (주변의)	★퍼주, 퍼주★
	퍼뤼뻐러 주, 퍼뤼뻐러 주	퍼주기만 하면
138	permanent (영원한)	★펄영, 펄영★
	펄머넌트 영, 펄머넌트 영	펄펄
139	detest (혐오하다)	★디혐, 디혐★
	디테스트 혐, 디테스트 혐	뒤테
140	allure (매혹시키다)	★얼매, 얼매★
	얼루얼 매, 얼루얼 매	얼굴로

141	vanguard (선구자)	★뱅선, 뱅선★
	뱅갈드선, 뱅갈드선	말을
142	tyrant (독재자)	★타독, 타독★
	타이뤈트 독, 타이뤈트 독	타도!
143	salient (두드러진)	★쎄두, 쎄두★
	쎄일런트 두, 쎄일런트 두	세게
144	scribble (낙서하다)	★스낙, 스낙★
	스끄뤼버 낙, 스끄뤼버 낙	스크린
145	assemble (조립하다)	★어조, 어조★
	어쎔버 조, 어쎔버 조	어! 세계

146	superficial (피상적인)	★수피, 수피★
	수뻘삐셔 피, 수뻘삐셔 피	수퍼맨
147	synthetic (합성의)	★신합, 신합★
	씬떼틱 합, 씬떼틱 합	신나게
148	tedious (지루한)	★티지, 티지★
	티디어스 지, 티디어스 지	티 문화
149	thermal (열의)	★떨열, 떨열★
	떨머 열, 떨머 열	떨었어
150	tilt (기울다)	★틸기, 틸기★
	틸트 기, 틸트 기	물

	스토리 암기법 (146~150) ♥스토리 암기법은 가장 강력한 암기법!♥
136	【나순】 나이 먹고 순진? 그거 좋은 거 아니다 (언니의 충고) naive
137	【퍼주】 (돈 벌어서 남) 퍼주기만 하면 주변에 아무도 없다 (형의 충고) peripheral
138	【펄영】 펄펄 난다 영원히 permanent
139	【디혐】 디테(뒤태) 혐오 (뒤태 극혐) detest
140	【얼매】 (난) 얼굴로 매혹시킨다 (차은우 이야기) allure
141	【뱅선】 (자꾸) 말을 뱅뱅 돌리는 선구자는 (옥에) 가둬라! vanguard
142	【타독】 타도! 독재! (최루탄) run! tyrant
143	【쎄두】 쎄게 (남보다) 두드러지게 말해야 세상이 주목한다 (스피치 강사 이야기) salient
144	【스낙】 스크린(screen) 낙서, 벌 선다 scribble
145	【어조】 어! 세게 조립해! assemble
146	【수피】 수퍼맨(superman), 피상적인 존재 superficial
147	【씬합】 씬(신)나게 합성해라, 합성품 (공장장 이야기) synthetic
148	【티지】 티(tea) 문화, 디게 지루하다 (커피가 낫지) tedious
149	【떨열】 떨었어, 열나서? 머, 그럴 수 있지 thermal
150	【틸기】 물 틸(틸)까봐 잔 기울였다 tilt

136	naive ★나순, 나순★ 나이 먹고 순진? 그거 좋은 거 아니다
137	peripheral ★퍼주, 퍼주★ 퍼주기만 하면 주변에 아무도 없다
138	permanent ★펄영, 펄영★ 펄펄 난다 영원히
139	detest ★디혐, 디혐★ 디테(뒤태) 혐오
140	allure ★얼매, 얼매★ 얼굴로 매혹시킨다
141	vanguard ★뱅선, 뱅선★ 말을 뱅뱅 돌리는 선구자는 옥에 가둬라!
142	tyrant ★타독, 타독★ 타도! 독재! (최루탄) run!
143	salient ★쎄두, 쎄두★ 세게 두드러지게!
144	scribble ★스낙, 스낙★ 스크린(screen)에 낙서, 벌 선다
145	assemble ★어조, 어조★ 어! 세게 조립해!
146	superficial ★수피, 수피★ 수퍼맨(superman), 피상적인 존재
147	synthetic ★씬합, 씬합★ 씬(신)나게 합성해라, 합성품
148	tedious ★티지, 티지★ 티(tea) 문화, 디게 지루하다
149	thermal ★떨열, 떨열★ 떨었어, 열나서? 머, 그럴 수 있지
150	tilt ★틸기, 틸기★ 물 틸(틸)까봐 잔 기울였다

151	resentment (분노)	★리분, 리분★
	뤼젠먼트 분, 뤼젠먼트 분	우리 이젠
152	utilitarian (공리주의)	★유공, 유공★
	유틸리테어뤼언 공, 유틸리테어뤼언 공	유식한
153	adhere (고수하다)	★앳고, 앳ㄲ★
	앳히얼 고, 앳히얼 ㄲ	앳된 얼굴로
154	advent (출현)	★앳출, 앳출★
	앳번트 출, 앳번트 출	앳된 얼굴로
155	adverse (부정적인)	★앳부, 앳부★
	앳벌스 부, 앳벌스 부	앳된 얼굴로

156	anguish (고통)	★앵고, 앵고★
	앵귀쉬 고, 앵귀쉬 고	귀에
157	bewilder (당황하게 하다)	★비당, 비당★
	비윌덜 당, 비윌덜 당	비가 덜
158	binoculars (쌍안경)	★바쌍, 바쌍★
	바이나큘럴즈 쌍, 바이나큘럴즈 쌍	바이
159	catastrophe (재앙)	★커재, 커재★
	커태스츄러삐 재, 커태스츄러삐 재	나무
160	complementary (보완하는)	★캄보, 캄보★
	캄플러멘터뤼 보, 캄플러멘터뤼 보	캄보디아에서

161	delinquency (비행)	★딜비, 딜비★
	딜링퀀씨 비, 딜링퀀씨 비	delivery 하는
162	aftermath (영향)	★앱영, 앱영★
	앱털매스 영, 앱털매스 영	afternoon에
163	divulge (폭로하다)	★디폭, 디폭★
	디벌쥐 폭, 디벌쥐 폭	뒤에서 벌벌
164	weary (지친)	★위지, 위지★
	위어리 지, 위어리 지	위에서
165	replicate (복제하다)	★레복, 레복★
	뤠플러케잇 복, 뤠플러케잇 복	모래를

	스토리 암기법 (151~165) ♥스토리 암기법은 가장 강력한 암기법!♥
151	【리분】 우리 이젠 분노! (tyrant, 독재 타도!) resentment
152	【유공】 유식한 티 난다, 공리주의도 알고 utilitarian
153	【앳고】 앳된 얼굴로 희안한 입장 고수 adhere
154	【앳출】 앳된 얼굴로 번번이 출현 advent
155	【앳부】 앳된 얼굴로 벌써부터 부정적인 입장 adverse
156	【앵고】 귀에 모기가 앵앵거려 고통스럽다 anguish
157	【비당】 (차라리) 비가 덜 오면 덜 당황스럽다 bewilder
158	【바쌍】 (이젠) 바이(bye), 나의 쌍안경 binoculars
159	【커재】 나무 커(크)면 스트레스 받아서 재앙이다 (정원사 이야기) catastrophe
160	【캄보】 캄보디아에서 먼 보완 작업? (캄보디아로 전출 명령 받은 회사원 이야기) complementary
161	【딜비】 중국집 딜리버리(delivery) 하는 비행 청소년 * delivery = 배달 delinquency
162	【앱영】 앱털눈(afternoon)에 math 공부하면 뇌에 좋은 영향 준다 aftermath
163	【디폭】 디(뒤)에서 벌벌 떨며 폭로한다 (사이버 렉카 이야기) divulge
164	【위지】 위에서 뛰면 지치리 weary
165	【레복】 (옛날) 모레(래)를 어플로 똑같이 복제한 Kate (능력 만땅 기술자 이야기) replicate

151	resentment ★리분, 리분★ 우리 이젠 분노! (타도! 독재!)
152	utilitarian ★유공, 유공★ 유식한 티 난다, 공리주의도 알고
153	adhere ★앳고, 앳고★ 앳된 얼굴로 희안한 입장 고수
154	advent ★앳출, 앳출★ 앳된 얼굴로 번번이 출현
155	adverse ★앳부, 앳부★ 앳된 얼굴로 벌써부터 부정적인 입장
156	anguish ★앵고, 앵고★ 귀에 모기가 앵앵거려 고통스럽다
157	bewilder ★비당, 비당★ 비가 덜 오면 덜 당황스럽다
158	binoculars ★바쌍, 바쌍★ 바이(bye), 나의 쌍안경
159	catastophe ★커재, 커재★ 나무 커(크)면 재앙
160	complementary ★캄보, 캄보★ 캄보디아에서 먼 보완 작업?
161	delinquency ★딜비, 딜비★ 중국집 delivery하는 비행 청소년
162	aftermath ★앱영, 앱영★ afternoon에 math 공부하면 뇌에 좋은 영향 준다
163	divulge ★디폭, 디폭★ 디(뒤)에서 벌벌 떨며 폭로한다
164	weary ★위지, 위지★ 위에서 뛰면 지치리
165	replicate ★레복, 레복★ 모레(래)를 어플로 똑같이 복제한 Kate

166	hectic (바쁜)	★헥바, 헥바★
	헥틱 바, 헥틱 바	핵
167	incorporate (포함하다)	★인포, 인포★
	인콜퍼레잇 포, 인콜퍼레잇 포	인간이
168	intervene (개입하다)	★인개, 인개★
	인털빈 개, 인털빈 개	인터넷에서
169	intrigue (호기심을 자극하다)	★인호, 인호★
	인츄릭 호, 인츄릭 호	인철이의
170	inventory (재고)	★인재, 인재★
	인번토리 재, 인번토리 재	인철이 Van에

171	kinship (유대감, 친족)	★킨유친, 킨유친★
	킨쉽 유친, 킨쉽 유친	스킨쉽
172	legacy (유산)	★레유, 레유★
	레거씨 유, 레거씨 유	모래, 이것이
173	loom (어렴풋이 나타나다)	★룸어, 룸어★
	룸 어, 룸 어	room에서
174	testimony (증거)	★테증, 테증★
	테스터모니 증, 테스터모니 증	테스트
175	legislation (입법)	★레입, 레입★
	레쥐슬레이션 입, 레쥐슬레이션입	모래

176	archaic (고대의)	★알고, 알고★
	알케익 고, 알케익 고	알고 있다
177	vicious (사악한)	★비사, 비사★
	비셔스 사, 비셔스 사	손이
178	deviate (벗어나다)	★디벗, 디벗★
	디비에잇 벗, 디비에잇 벗	뒤에서
179	affordable (저렴한)	★어저, 어저★
	어뽈더버 저, 어뽈더버 저	어? 저 fork가
180	antecedent (선례)	★앤선, 앤선★
	앤터씨던트 선, 앤터씨던트 선	앤 티철

	스토리 암기법 (166~180) ♥스토리 암기법은 가장 강력한 암기법!♥
166	【헥바】핵 바빠, 틱 전화 끊기 (싫은 사람 밀어내는 이야기) hectic
167	【인포】인간이 AI를 골프 경기에 포함한다 incorporate
168	【인개】인터넷에서 통장 장고 빈 사람 개입 금지 intervene
169	【인호】인철이의 호기심을 자극하는 그녀 (인철이 연애 이야기) intrigue
170	【인재】인철이 밴(Van)에 재고가 없다 (인철이 먹튀 사건) inventory
171	【킨유친】스킨쉽(skinship), 유대감 필요하고 친족끼리 금지 kinship
172	【레유】모레(래) 이거시(이것이) 유산? * 모래 회사 아들의 푸념 legacy
173	【룸어】룸(room)에서 어렴풋이 나타난다 loom
174	【테증】테스트 해봐라, 증거인지 아닌지 (이게 모니?) testimony
175	【레입】모레 입법날 인데, 네가 법정 설래? (일하기 싫은 국회의원 이야기) legislation
176	【알고】(나도) 알고 있다, 고대 케잌 (cake) (고고학자 이야기) * archeologist archaic
177	【비사】손이 발이 되도록 비셔스? (비셨으?) 사악한 인간? vicious
178	【디벗】디(뒤)에서 벗어나지 말고 따라오랬잖아, 에잇! * leader의 분노 deviate
179	【어저】어? 저 뽈크(fork)가 더 저렴하다 affordable
180	【앤선】앤(Ann) 티철(teacher), 좋은 선례를 남겼다 antecedent

166	hectic ★헥바, 헥바★ **핵 바빠, 틱 전화 끊기**
167	incorporate ★인결, 인결★ **인간이 AI를 골프 경기에 포함한다**
168	intervene ★인개, 인개★ **인터넷에서 통장 장고 빈 사람 개입 금지**
169	intrigue ★인호, 인호★ **인철이? 호기심을 자극하구나 그래!**
170	inventory ★인재, 인재★ **인철아, 벤(van)에 재고가 없다고?**
171	kinship ★킨유친, 킨유친★ **스킨쉽(skinship), 유대감 필요하고 친족끼리 금지**
172	legacy ★레유, 레유★ **모레(래) 이거시(이것이) 유산?**
173	loom ★룸어, 룸어★ **룸(room)에서 어렴풋이 나타난다**
174	testimony ★테증, 테증★ **테스트 해봐라, 증거인지 아닌지 (이게 모니?)**
175	legislation ★레입, 레입★ **모레 입법, 법정 설래? 션하게~**
176	archaic ★알고, 알고★ **나도 알고 있다, 고대 케잌**
177	vicious ★비사, 비사★ **손이 발이 되도록 비셨으? 사악한 인간?**
178	deviate ★디벗, 디벗★ **디(뒤)에서 벗어나지 말고 따라오랬잖아, 에잇!**
179	affordable ★어저, 어저★ **어? 저 뽈크(fork)가 더 저렴하다**
180	anteccdent ★앤선, 앤선★ **앤(Ann) 티철(teacher), 좋은 선례를 남겼다**

181	aristocrat (귀족)	★어귀, 어귀★
	어리스떠크랫 귀, 어리스떠크랫 귀	어리고
182	averse (싫어하는)	★어싫, 어싫★
	어벌스 싫, 어벌스 싫	어, 벌서기
183	barren (척박한)	★배척, 배척★
	배런 척, 배런 척	이 배를
184	celestial (하늘의)	★썰하, 썰하★
	썰레스처 천, 썰레스처 천	설렌다
185	cuddle (끌어안다)	★커끌, 커끌★
	커더 끌, 커더 끌	커서

186	clumsy (서투른)	★클서, 클서★
	클럼지 서, 클럼지 서	클났다
187	hemisphere (반구)	★헤반, 헤반★
	헤미스삐얼 반, 헤미스삐얼 반	헤엄쳐서
188	evade (회피하다)	★이회, 이회★
	이베잇 회, 이베잇 회	이 배에서
189	rebellion (반란)	★리반, 리반★
	리벨리언 반, 리벨리언 반	우리, 벨
190	dehydrate (건조시키다)	★디건, 디건★
	디하이쥬레잇 건, 디하이쥬레잇 건	뒤에 하의는

191	unanimous (만장일치의)	★유만, 유만★
	유내너머스 만, 유내너머스 만	유인나
192	falsify (틀렸음을 입증하다)	★뽈틀, 뽈틀★
	뽈서빠이 틀, 뽈써빠이 틀	뽈따구에
193	formidable (어마어마한)	★뽈어, 뽈어★
	뽈미더 버, 뽈미더 버	뽈따구 미어
194	incompatible (양립할 수 없는)	★인양, 인양★
	인컴패터버 양, 인컴패터버 양	인간, 컴퓨터
195	obsolete (쓸모없는)	★압쓸, 압쓸★
	압썰릿 쓸, 압썰릿 쓸	압정

	스토리 암기법 (181~195) ♥스토리 암기법은 가장 강력한 암기법!♥
181	【어귀】 어리고 스타성 있는 귀족 (어딨어?) (17세기 유럽 귀족 이야기) aristocrat
182	【어싫】 어, 벌서기 싫다 averse
183	【배척】 이 배를 이 척박한 땅에? (너 제정신이니?) (정주영 이야기) barren
184	【썰하】 설렌다, 하늘에 별이 스쳐 지나가면 (10대 소녀 이야기) celestial
185	【커끌】 커서 인형 끌어안고 잔다? 덜떨어진 인간 cuddle
186	【클서】 클났다, 넘 서툴러서! (신입 받은 선배 이야기) clumsy
187	【헤반】 헤엄쳐서 반구를 지난다? hemisphere
188	【이회】 이 배에서 나온 회, 회피해라! (상했다) (횟집 사장님 이야기) evade
189	【리반】 우리, 벨 누르고 반란을 일으키자! rebellion
190	【디건】 디(뒤)에 하의는 더러운데 건조시킨다고? (세탁 안 하고?) (빨랭방 이야기) dehydrate
191	【유만】 유인나 내꺼, 만장 일치로! unanimous
192	【뽈틀】 뽈따구에 (정답) 써서 (내가) 틀렸다고 입증한다고? falsify
193	【뽈어】 뽈따구 미어 터지겠다, 어마어마하다 (과식 이야기) formidable
194	【인양】 인간, 컴퓨터, 양립할 수 없다 (AI 때문에 실직하는 인간 이야기) incompatible
195	【압쓸】 압정 쓸래? 아니, 아무 쓸모 없다 obsolete

181	aristocrat ★어귀, 어귀★ 어리고 스타성있는 귀족
182	averse ★어벌, 어벌★ 어, 벌서기 싫다
183	barren ★배척, 배척★ 이 배를 이 척박한 땅에?
184	celestial ★썰하, 썰하★ 설렌다, 하늘의 별이 스쳐 지나가면
185	cuddle ★커끌, 커끌★ 커서 인형 끌어안고 잔다? 덜떨어진 인간
186	clumsy ★클서, 클서★ 클났다, 넘 서툴러서!
187	hemisphere ★헤반, 헤반★ 헤엄쳐서 반구를 지난다?
188	evade ★이회, 이회★ 이 배에서 나온 회, 회피해라!
189	rebellion ★리반, 리반★ 우리, 벨 누르고 반란을 일으키자!
190	dehydrate ★디건, 디건★ 디(뒤)에 하의는 더러운데 건조시킨다고?
191	unanimous ★유만, 유만★ 유인나 내꺼, 만장 일치로!
192	falsify ★뽈틀, 뽈틀★ 뽈따구에 써서 틀렸다고 입증한다고?
193	formidable ★뽈어, 뽈어 ★ 뽈다구 미어 터지겠다, 어마어마하다
194	incompatible ★인양, 인양★ 인간, 컴퓨터, 양립할 수 없다
195	obsolete ★압쓸, 압쓸★ 압정 쓸래? 아니, 아무 쓸모 없다

196	fragile (연약한, 부서지기 쉬운)	★쁘연부, 쁘연부★
	쁘래줘 연부, 쁘래줘 연부	뿌연
197	kinesthetic (운동 감각의)	★키운, 키운★
	키너스떼틱 운, 키너스떼틱 운	키랑
198	petition (청원하다)	★퍼청, 퍼청★
	퍼티션 청, 퍼티션 청	퍼런
199	plausible (그럴듯한)	★플그, 플그★
	플로저버 그, 플로저버 그	풀로
200	prolific (다작의)	★프다, 프다★
	프롤리쁵 다, 프롤리쁵 다	프로 가수는

201	retrospect (회상)	★레회, 레회★
	레츄뤄스쁵트 회, 레츄뤄스쁵트 회	레전드 영화
202	specify (명시하다)	★스명, 스명★
	스뻬써빠이 명, 스뻬써빠이 명	스님은
203	tactic (전술)	★택전, 태전★
	택틱 전, 택틱 전	택도 없는
204	transcend (초월하다)	★츄초, 츄초★
	츄뤤쎈 초, 츄뤤쎈 초	츄리닝
205	utter (말하다, 완전한)	★어말완, 어말완★
	어털 말완, 어털 말완	어, 털 없는

206	vulgar (저속한)	★버저, 버저★
	버걸 저, 버걸 저	버린 걸
207	contaminate (오염시키다)	★컨오, 컨오★
	컨태머네잇 오, 컨태머네잇 오	컨테이너
208	corrupt (부패한)	★커부, 커부★
	커뤕 부, 커뤕 부	커버리고
209	viable (실행 가능한, 생존 가능한)	★바실생, 바실생★
	바여버 실생, 바여버 실생	봐야
210	conjure (생각해 내다, 마술을 부리다)	★컨생마, 컨생마★
	컨쥘 생마, 컨쥘 생마	큰 저를

스토리 암기법 (196~210) ♥스토리 암기법은 가장 강력한 암기법!♥	
196	【쁘연】 쁘(뿌)연 연기, 연약하고 부서지기 쉽다 fragile
197	【키운】 키랑 운동 감각? 아무 상관없다 kinesthetic
198	【퍼청】 퍼런(파란) 티(셔츠) (달라고) 청원 petition
199	【플그】 플로(풀로) 접어 그럴 듯하다 (손으로 안 접고 풀로 접는다고?) plausible
200	【프다】 프로(pro) 가수는 다작한다, 그러다 삑사리난다 prolific
201	【레회】 레전드(legend) 영화 틀고 스펙 회상 retrospect
202	【스명】 스님은 빼라고 명시되어 있다, 빠이~ specify
203	【택전】 택도 없는 전술, 틱 놓고 간다 tactic
204	【츄초】 츄리닝 샌달 패션, 상상 초월 (뒤도 안 돌아 보고 쌩~ 도망가는 소개팅녀) transcend
205	【어말완】 어, 털 없는 말, 완전 웃기다고 말해 (ㅋㅋㅋ 웃긴 이야기) utter
206	【버저】 (누가) 버린 걸 가져옴? 저속하다 vulgar
207	【컨오】 컨테이너(container)를 오염시키다 contaminate
208	【커부】 (권력) 커버리고 부패하다 corrupt
209	【바실생】 바야(봐야) 실행가능한지, 생존 가능한지 알지 viable
210	【컨생마】 컨(큰) 절(저를) 생각해 내다니 역시 마술사네요 conjure

196	fragile ★쁘연, 쁘연★	**쁘(뿌)연 연기, 연약하고 부서지기 쉽다**
197	kinesthetic ★키운, 키운★	**키랑 운동 감각? 아무 상관없다**
198	petition ★퍼청, 퍼청★	**퍼런(파란) 티 청원**
199	plausible ★플그, 플그★	**플로(풀로) 접어 그럴듯하다**
200	prolific ★프다, 프다★	**프로(pro) 가수는 다작한다, 그러다 삑사리 난다**
201	retrospect ★레회, 레회★	**레전드(legend) 영화 틀고 스펙 회상**
202	specify ★스명, 스명★	**스님은 빼라고 명시되어 있다, 빠이~**
203	tactic ★택전, 택전★	**택도 없는 전술, 틱 놓고 간다**
204	transcend ★츄초, 츄초★	**츄리닝 샌달 패션, 상상 초월**
205	utter ★어말완, 어말완★	**어, 털 없는 말, 완전 웃기다고 말해**
206	vulgar ★버저, 버저★	**버린 걸 가져옴? 저속하다**
207	contaminate ★컨오, 컨오★	**컨테이너(container)를 오염시키다**
208	corrupt ★커부, 커부★	**커버리고 부패하다**
209	viable ★바실생, 바실생★	**바야(봐야) 실행가능한지, 생존 가능한지 알지**
210	conjure ★컨절마, 컨절마★	**컨(큰) 절 생각해 내다니 과연 마술사네요**

211	constraint (제약)	★컨제, 컨제★
	컨스츄뤠인트 제, 컨스츄뤠인트 제	큰 회사
212	crumple (구기다)	★크구, 크구★
	크륌퍼 구, 크륌퍼 구	그럼
213	decent (예의바른, 제대로 된)	★디예제, 디예제★
	디슨트 에제, 디슨드 에제	어디
214	derail (탈선시키다)	★디탈, 디탈★
	디뤠여 탈, 디뤠여 탈	뒤에
215	intricate (인츄리킷)	★인복, 인복★
	인츄뤼킷 복, 인츄뤼킷 복	인철이는

216	meticulous (꼼꼼한)	★머꼼, 머꼼★
	머티큘러스 꼼, 머티큘러스 꼼	머? 티가
217	evacuate (대피시키다)	★이대, 이대★
	이배큐에잇 대, 이배큐에잇 대	이 배 사람
218	discontent (불만스러운)	★디불, 디불★
	디스컨텐트 불, 디스컨텐트 불	뒤에서 큰
219	designate (지정하다)	★데지, 데지★
	데직네잇 지, 데직네잇 지	대체 어딜
220	diagonal (대각선의)	★다대, 다대★
	다이애거너 대, 다이애거너 대	다이아에

221	discrepancy (차이)	★디차, 디차★
	디스크뤠펀씨 차, 디스크뤠펀씨 차	디스하는 거랑은
222	divert (전환하다)	★디전, 디전★
	디벌트 전, 디벌트 전	뒤에서
223	duplicate (복제하다)	★듀복, 듀복★
	듀플러케잇 복, 듀플러케잇 복	두 명이
224	encompass (에워싸다)	★인에, 인에★
	인컴퍼스 에, 인컴퍼 스에	인간들이
225	envision (마음속에 그리다, 상상하다)	★인마상, 인마상★
	인비줜 상마, 인비줜 상마	인간은

	스토리 암기법 (211~225) ♥스토리 암기법은 가장 강력한 암기법!♥
211	【컨제】 컨(큰) 회사, 스트레스와 제약이 있다 constraint
212	【크구】 크럼(그림) 풀로 구겨! crumple
213	【디예제】 어디 예의 바르고 제대로 된 사람 있어? decent
214	【디탈】 디(뒤)에 rail 탈선한 기차 (액션 영화 이야기) * rail = 선로 derail
215	【인복】 인철이는 마음이 복잡하다 (인철이 연애 이야기) intricate
216	【머꼼】 머? 티가 날만큼 꼼꼼하다고? (눈이 커지는 인사 담당자 이야기) meticulous
217	【이대】 이 배 사람, 큐피드(Cupid)가 대피시켜! (휴 윌리엄스 이야기) evacuate
218	【디불】 디(뒤)에서 큰 불만 얘기하는 텐트족 (얌체 텐트족 이야기) discontent
219	【데지】 데(대)체 어딜 광고사로 지정하지? Nate? (광고 회사 이야기) designate
220	【다대】 다이아(몬드)에 애들이 대각선 그린다 (애들 장난 이야기) diagonal
221	【디차】 (그냥) 디스(Dis)하는 거랑은 뻔한 차이가 있다 discrepancy
222	【디전】 디(뒤)에서 벌벌 떨지 말고, 기분 전환해! divert
223	【듀복】 듀(두)명이 문제 풀려면 종이 복사해! (학원 쌤 이야기) duplicate
224	【인에】 인간들이 캠퍼스(campus)를 에워싼다 (대학 축제 이야기) encompass
225	【인마상】 인간은 마음속에 그리고 상상하는 비전이 있다 envision

211	constrain ★컨제, 컨제★	컨(큰) 회사, 스트레스와 제약이 있다
212	crumple ★크구, 크구★	크럼(그럼) 풀로 구겨!
213	decent ★디예제, 디예제★	어디 예의 바르고 제대로 된 사람 있어?
214	derail ★디탈, 디탈★	디(뒤)에 rail 탈선한 기차
215	intricate ★인복, 인복★	인철이는 마음이 복잡하다
216	meticulous ★머꼼, 머꼼★	머? 티가 날만큼 꼼꼼하다고?
217	evacuate ★이배, 이배★	이 배 사람, 큐피드(Cupid)가 대피시켜!
218	discontent ★디불, 디불★	디(뒤)에서 큰 불만 얘기하는 텐트족
219	designate ★데지, 데지★	데(대)체 어딜 광고사로 지정하지? Nate?
220	diagonal ★다대, 다대★	다이아에 애들이 대각선 그린다
221	discrepancy ★디차, 디차★	디스(Dis)하는 거랑은 뻔한 차이가 있다
222	divert ★디전, 디전★	디(뒤)에서 벌벌 떨지 말고, 기분 전환해!
223	duplicate ★듀복, 듀복★	듀(두)명이 문제 풀려면 종이 복사해!
224	encompass ★인에, 인에★	인간 컴퍼스로 에워싸!
225	envision ★인마상, 인마상★	인간은 마음속에 그리고 상상하는 비전이 있다

226	frail (노쇠한)	★쁘노, 쁘노★
	쁘뤠일 노, 쁘뤠일 노	누가 이렇게
227	nominal (명목상의)	★나명, 나명★
	나머너 명, 나머너 명	남어?
228	ignorant (무지한)	★익무, 익무★
	익너뤈트 무, 익너뤈트 무	익히고
229	indulge (빠지다, 탐닉하다)	★인빠탐, 인빠탐★
	인덜쥐 빠탐, 인덜쥐 빠탐	인간은 덜
230	inflame (자극하다)	★인자, 인자★
	인쁠레임 자, 인쁠레임 자	인플에이션을

231	infuse (주입하다)	★인주, 인주★
	인퓨즈 주, 인퓨즈 주	인간아
232	premise (전제)	★프전, 프전★
	프뤠미스 전, 프뤠미스 전	프로가
233	inquisitive (알고 싶어하는, 탐구적인)	★인알탐, 인알탐★
	인퀴지팁 알탐, 인퀴지팁 알탐	인간은
234	infrared (적외선의)	★인적, 인적★
	인쁘뤳 적, 인쁘뤳 적	인간에게
235	inscription (비문)	★인비, 인비★
	인스크립션 비, 인스크립션 비	인스타에

236	inseparable (분리할 수 없는)	★인분, 인분★
	인쎄퍼뤄버 분, 인쎄퍼뤄버 분	인간 세 명
237	inverse (반대의)	★인반, 인반★
	인벌스 정, 인벌스 정	인간아,
238	localize (현지화하다)	★로현, 로현★
	로컬라이즈 현, 로컬라이즈 현	로컬에
239	lure (유혹하다)	★루유, 루유★
	루얼 유, 루얼 유	서로
240	medieval (중세의)	★미중, 미중★
	미디버 중, 미디버 중	미디어에

스토리 암기법 (226~240) ♥스토리 암기법은 가장 강력한 암기법!♥	
226	【쁘노】 누가 이렇게 이쁘래? 가만보니 노쇠했다 (여친 쌩얼에 놀란 남친 이야기) frail
227	【나명】 나머? (남어?) 그럼 명목상 장부에 올려놔! * 명목상 = 이름만 있음 nominal
228	【익무】 (먼저) 익히고 (냄비에) 넣어야지, 무지하다! ignorant
229	【인빠탐】 인간은 덜 떨어졌다 그래서 나쁜 것에 빠지고 탐닉한다 (성악설 이야기) indulge
230	【인자】 인플레이션(inflation), 자극하지마! inflame
231	【인주】 인간아, 퓨즈(fuse) 주입해! (일 못하는 직원 이야기) * fuse = 도화선 infuse
232	【프전】 프로(pro)가 미스(mis)가 없는 이유 : 전제가 있기 때문 premise
233	【인알탐】 인간은 알고 싶어하고 탐구하는 본성이 있다 inquisitive
234	【인적】 인간에게 적외선은 레드(red) infrared
235	【인비】 인스타(그램)에 그리 비문이 많은 이유 = 허세 * 비문 = 글귀 inscription
236	【인분】 인간 세 명 쟤들은 백퍼 분리할 수 없다 (친한 친구들 이야기) inseparable
237	【인반】 인간아, (벌 서려면) 반대 팔로 벌 서! (링거 맞으면서 벌 서는 학생 이야기) inverse
238	【로국】 (이 서비스를) 로컬(local)에 현지화 하다 localize
239	【루유】 (남녀가) 서로 띠를 이루어 유혹한다 (클럽 이야기) lure
240	【미중】 미디어(media)에 중세 시대? 벌~써 한 물 감 (미디어 제작자 이야기) medieval

226	frail ★쁘노, 쁘노★ 누가 이렇게 이쁘래? 가만보니 노쇠했다
227	nominal ★나명, 나명★ 나머? (남어?) 그럼 명목상 장부에 올려놔!
228	ignorant ★익무, 익무★ 익히고 넣어야지, 무지하다!
229	indulge ★인빠탐, 인빠탐★ 인간은 덜 떨어졌다 그래서 나쁜 것에 빠지고 탐닉한다
230	inflame ★인자, 인자★ 인플레이션(inflation), 자극하지마!
231	infuse ★인주, 인주★ 인간아, 퓨즈(fuse) 주입해!
232	premis ★프명, 프명★ 프로(pro)가 미스(mis)가 없는 이유 : 전제가 있기 때문
233	inquisitive ★인알탐, 인알탐★ 인간은 알고 싶어하고 탐구하는 본성이 있다
234	infarred ★인적, 인적★ 인간에게 적외선은 레드(red)
235	inscription ★인비, 인비★ 인스타(그램)에 그리 비문이 많은 이유
236	inseparable ★인분, 인분★ 인간 세 명 쟤들은 백퍼 분리할 수 없다
237	inverse ★인분, 인분★ 인간아, 반대 팔로 벌 서!
238	localize ★로국, 로국★ 로컬(local)에 현지화 하다
239	lure ★루유, 루유★ 남녀가 서로 띠를 이루어 유혹한다
240	medieval ★미중, 미중★ 미디어(media)에 중세 시대? 벌~써 한 물 감

<단어 뜻 확인> (241~255) 뒤에 나오는 **스토리**를 떠올리세요!!

241	bias (편견) 바여스 편, 바여스 편	★바편, 바편★ 바로
242	disposable (일회용의) 디스뽀저버 일, 디스뽀저버 일	★디일, 디일★ 일회용은
243	shatter (부수다) 쉐털 부, 쉐털부	★쉐부, 쉐부★ shaver로
244	announce (발표하다) 어나운스 발, 어나운스 발	★어발, 어발★ 어, 나
245	relaxation (기분 전환) 릴렉쎄이션 기, 릴렉쎄이션 기	★릴기, 릴기★ 우릴

246	strangle (질식시키다) 스츄뤵거 질, 스츄뤵거 질	★스질, 스질★ 스위스 추운
247	tingle (따끔거리다) 팅거 따, 팅거 따	★팅따, 팅따★ 팅~
247	slimy (미끈거리는) 슬라이미 미, 슬라이미 미	★슬미, 슬미★ 슬라이드가
248	molecule (분자) 말러큘 분, 말러큘 분	★말분, 말분★ 말러
250	stale (김빠진, 진부한) 스떼일 김진, 스떼일 김진	★스김진, 스김진★ 박카스

251	ubiquitous (어디에나 있는) 유비쿼터스 어, 유비쿼터스 어	★유어, 유어★ 유비는
252	gallant (용감한) 갤런트 용, 갤런트 용	★갤용, 갤용★ 걜 용으로
253	observatory (전망대) 업저버터뤼 전, 업절버터뤼 전	★업전, 업전★ 엎드려
254	rugged (험악한) 러깃 험, 러깃 험	★러험, 러험★ 러시아는
255	juror (배심원) 쥬뤌 배, 쥬뤌 배	★쥐배, 쥐배★ 쥐!

스토리 암기법 (241~255) ♥스토리 암기법은 가장 강력한 암기법!♥	
241	【바편】(상황을) 바로 못 보는 편견 * 편견이 있으면 상황을 제대로 못 봄 bias
242	【디일】일회용은 저 디(뒤)에 일회용 포대에 버려라! disposable
243	【쉐부】쉐이버(shaver)로 털을 부수다 (면도를 과격하게 하는 상남자 이야기) shatter
244	【어발】어, 나 발표한다, 운 좋다 announce
245	【릴기】우릴 기억하면서 기분 전환해! relaxation
246	【스질】스위스 추운 랭기(냉기)에 질식사 strangle
247	【팅따】팅~ 주사가 팅(팅)겨서 따끔거린다 (어설픈 간호사 이야기) tingle
248	【슬미】슬라이드(slide)가 미끈미끈하다 * slide : 미끄럼틀 slimy
249	【말분】말러 분자를 키우노? (분자를 말러 키우노?) * 말러 = 뭐하려고 molecule
250	【스김진】(다같이) 박카스 (먹을) 때 일? 김빠진다, 진짜 진부하다! stale
251	【유어】유비는 어디에나 있다 (삼국지에서) ubiquitous
252	【갤용】갤 용으로 만든 건 용감함이다 (용감한 성격이다) gallant
253	【업전】엎드려 절해라, 전망대에서 (별을 신성한 존재라 믿은 옛날 사람들 이야기) observatory
254	【러험】러시아는 (우크라이나에) 깃발 꽂는 험악한 나라 rugged
255	【줘배】줘! 배심원에게 배 줘! (배를 좋아하는 배심원 이야기) juror

241	bias ★바편, 바편★ 바로 못 보는 편견
242	disposable ★디일, 디일★ 일회용은 저 뒤에 일회용 포대에 버려라!
243	shatter ★쉐부, 쉐부★ 쉐이버(shaver)로 털을 부수다
244	announce ★어발, 어발★ 어, 나, 발표한다, 운 좋다
245	relaxation ★릴기, 릴기★ 우릴 기억하면서 기분 전환해!
246	strangle ★스질, 스질★ 스위스 추운 랭기(냉기)에 질식사
247	tingle ★팅따, 팅따★ 팅~ 주사가 팅(팅)겨서 따끔거린다
248	slimy ★슬미, 슬미★ 슬라이드(slide), 미끈미끈하다
249	molecule ★말분, 말분★ 말러 분자를 키우노?
250	stale ★스김진, 스김진★ 박카스 때 일? 김빠진다, 진짜 진부하다!
251	ubiquitous ★유어, 유어★ 유비는 어디에나 있다
252	gallant ★갤용, 갤용★ 갤 용으로 만든 건 용감함이다
253	observatory ★업전, 업전★ 엎드려 절해라, 전망대에서
254	rugged ★러험, 러험★ 러시아는 깃발 꽂는 험악한 나라
255	juror ★줘배, 줘배★ 줘! 배심원에게 배 줘

256	basin (대야, 분지)	★베대분, 베대분★
	베이씬 대분, 베이씬 대분	배에
257	creepy (기어다니는, 소름끼치는)	★크기소, 크기소★
	크뤼피 기소, 크뤼피 기소	크고
258	dismiss (묵살하다)	★디묵, 디묵★
	디스미스 묵, 디스미스 묵	디스할 땐
259	nocturnal (야행성의)	★낙야, 낙야★
	낙터너 야, 낙터너 야	낙동강
260	assert (주장하다)	★어주, 어주★
	어썰트 주, 어썰트 주	어설프게

261	accumulate (축적하다)	★어축, 어축★
	어큐멀레잇 축, 어큐멀레잇 축	어, 큐하면
262	provision (제공)	★프제, 프제★
	프로비전 제, 프로비전 제	프로는
263	commodity (상품)	★커상, 커상★
	커마더티 상, 커마더티 상	거, 마
264	imposing (인상적인)	★임인, 임인★
	임포징 인, 임포징 인	임신은
265	inland (내륙의, 오지의)	★인내오, 인내오★
	인런드 내오, 인런드 내오	인간이

266	mandatory (필수의, 의무적인)	★맨필의, 맨필의★
	맨더터뤼 필의, 맨더터뤼 필의	맨
267	inherit (물려받다)	★인물, 인물★
	인헤륏 물, 인헤륏 물	인혜가
268	trait (특징)	★츄특, 츄특★
	츄레잇 특, 츄레잇 특	추울 때
269	humanity (인류, 인간성)	★휴인인, 휴인인★
	휴매너티 인, 휴매너티 인	휴~ 매서운
270	humid (습한)	★휴습, 휴습★
	휴밋 습, 휴밋 습	휴~ 미치겠다!

	스토리 암기법 (256~270) ♥스토리 암기법은 가장 강력한 암기법!♥
256	【베대분】 배에 대야를 대면 분지가 생긴다 basin
257	【크기소】 크고 기어다닌다? 소름~ (끼친다) creepy
258	【디묵】 디스(diss)할 땐 미스(mis) 없이 묵살해야 한다 * mis = mistake dismiss
259	【낙야】 낙동강 터널(tunnel)에 사는 야행성 너구리 nocturnal
260	【어주】 어설프게 썰 풀지말고 주장을 해! assert
261	【어축】 어, 큐(cue)하면 축적한 멸치 갖고 오레이~ (멸치 장사꾼 이야기) accumulate
262	【프제】 프로(pro)는 비전(vision)을 제공하는 사람 * vision = 통찰력 (insight) provision
263	【커상】 커(거), 마, 더티(dirty)한 상품은 치워! (깔끔쟁이 이야기) commodity
264	【임인】 임신은 포상 해야 한다, 인상적인 일이니까 (저출산 시대 이야기) imposing
265	【인내오】 인간이 내륙에서 태어났다고? 오지가 아니고? inland
266	【맨필의】 맨(man)은 필수로, 의무적으로 도토리를 모아야 한다 (원시인 생존 이야기) mandatory
267	【인물】 인혜가 물려받은 땅, 사실 니꺼다 (인혜 막장 드라마 이야기) inherit
268	【츄특】 (동물은) 츄(추)울 때 특징이 드러나더 레이~ trait
269	【휴인인】 휴~ 매서운 추위에 인류가 인간성을 잃음 humanity
270	【휴습】 휴~ 미치겠다! 너무 습하다! humid

256	basin ★베대분, 베대분★ 배에 대야를 대면 분지가 생긴다
257	creepy ★크기소, 크기소★ 크고 기어다닌다? 소름~
258	dismiss ★디묵, 디묵★ 디스(diss)할 땐 미스(mis) 없이 묵살해야 한다
259	nocturnal ★낙야, 낙야★ 낙독강 터널(tunnel)에 사는 야행성 너구리
260	assert ★어주, 어주★ 어설프게 썰 풀지말고 주장을 해!
261	accumulate ★어축, 어축★ 어, 큐(cue)하면 축적한 멸치 갖고 오레이~
262	provision ★프제, 프제★ 프로(pro)는 비전(vision)을 제공하는 사람
263	commodity ★커상, 커상★ 커(거), 마, 더티(dirty)한 상품은 치워!
264	imposing ★임인, 임인★ 임신은 포상 해야 한다, 인상적인 일이니까
265	inland ★인내오, 인내오★ 인간이 내륙에서 태어났다고? 오지가 아니고?
266	mandatory ★맨필의, 맨필의★ 맨은 필수로, 의무적으로 도토리를 모아야 한다
267	inherit ★인물, 인물★ 인혜가 물려받은 땅, 사실 니꺼다
268	trait ★츄특, 츄특★ 츄(추)울 때 특징이 드러나더 레이~
269	humanity ★휴인인★ 휴~ 매서운 추위에 인류가 인간성 잃음
270	humid ★휴습, 휴습★ 휴~ 미치겠다! 너무 습하다!

271	obscure (모호하게 하다)	★업모, 업모★
	업스큐얼 모, 업스큐얼 모	울산
272	parallel (유사하다, 필적하다)	★패유필, 패유필★
	패뤌렐 필, 패뤌렐 필	강호동 패를
273	parliament (국회, 의회)	★팔국이, 팔국의★
	팔러먼트 국, 팔러넌트 국	물건 팔러
274	pledge (맹세하다)	★플맹, 플맹★
	플레쥐 맹, 플레쥐 맹	쟤는 원래
275	ponder (곰곰히 생각하다)	★판곰, 판곰★
	판덜 곰, 판덜 곰	판더는

276	incur (초래하다)	★인초, 인초★
	인컬 초, 인컬 초	인간의
277	miser (구두쇠)	★마구, 마구★
	마이저 구, 마이저 구	마, 절에서는
278	dispel (몰아내다)	★디모, 디모★
	디스펠 모, 디스펠 모	디스를
279	prosperous (번영하는)	★프번, 프번★
	프라스퍼뤄스 번, 프라스퍼뤄스 번	프로가
280	preliminary (예비의)	★프예, 프예★
	프륄리머네뤼 예, 프륄리머네뤼 예	free하게

281	regime (정권)	★레정, 레정★
	뤠이짐 정, 뤠이짐 정	Ray는
282	resign (사임하다)	★리사, 리사★
	뤼자인 사, 뤼자인 사	우리 자기 정도면
283	restraint (규제)	★리규, 리규★
	리스츄뤠인트 규, 리스츄뤠인트 규	lease할 때
284	retention (보유, 유지)	★리보유, 리보유★
	리텐션 유, 리텐션 유	우리 자기는
285	savor (맛, 음미하다)	★쎄맛음, 쎄맛음★
	쎄이벌 맛음, 쎄이벌 맛음	새콤한

스토리 암기법 (271~285) ♥스토리 암기법은 가장 강력한 암기법!♥	
271	【업모】 울산 업스퀘어(upsquare) 길, 모호하다 obscure
272	【패필유】 강호동 패를 까보니 유재석과 필적한 실력, 유사한 실력 parallel
273	【팔국의】 물건 팔러 먼(뭔) 국회, 의회에 가? (으휴~) parliament
274	【플맹】 쟤는 원래 아플 때 맹세 잘한다 pledge
275	【판곰】 판더(panda)는 곰 아냐, 곰곰이 생각해 봐! ponder
276	【인초】 인간의 커다란 욕심은 불행을 초래한다 incur
277	【마구】 마, 절에서는 구두쇠 행세해! miser
278	【디몰】 디스(dis)를 몰아내자! 스펠링(spelling)을 몰라? dispel
279	【프번】 프로(pro)가 운영하는 스파(spa)는 번창한다 * spa : 온천 prosperous
280	【프예】 프리(free)하게 예비 시험 준비하고 있는데, 뭐 내일? (당황한 수험생 이야기) preliminary
281	【레정】 레이(Ray)는 짐(지금) 정권 맘에 든다 regime
282	【리사】 우리 자기 정도면 사임하고 딴데 가! (남편 능력을 믿는 아내 이야기) resign
283	【리규】 리스(lease)할 때 레이(차)는 규제가 많다 * 기아 레이 restraint
284	【리보유】 우리 자기는 텐트를 보유하고 있어 선함(시원함)을 유지한다 retention
285	【쎄맛음】 쌔(새)콤한 맛, 벌처럼 톡 쏘는 맛 음미하세요 (시식 행사 이야기) savor

271	obscure ★업모, 업모★ 울산 업스퀘어(upsquare) 길, 모호하다
272	parallel ★패유필, 패유필★ 강호동 패를 까보니 유재석과 유사한 실력, 필적한 실력
273	parliament ★팔국의★ 물건 팔러 먼(뭔) 국회, 의회에 가? (으휴~)
274	pledge ★플맹, 플맹★ 쟤는 원래 아플 때 맹세 잘한다
275	ponder ★판곰, 판곰★ 판더(panda)는 곰이 아냐, 곰곰이 생각해 봐!
276	incur ★인초, 인초★ 인간의 커다란 욕심, 불행을 초래한다
277	miser ★마구, 마구★ 마, 절에 가서는 구두쇠 행세해!
278	dispel ★디몰, 디몰★ 디스(dis)를 몰아내자! 스펠링(spelling)을 몰라?
279	prosperous ★프번, 프번★ 프로(pro)가 운영하는 스파(spa)는 번창한다
280	preliminary ★프예, 프예★ 프리(free)하게 예비 시험 준비하고 있는데, 뭐 내일?
281	regime ★레정, 레정★ 레이(Ray)는 짐(지금) 정권 맘에 든다
282	resign ★리사, 리사★ 우리 자기 정도면 사임하고 딴데 가!
283	restraint ★리규, 리규★ 리스(lease)할 때 레이(차)는 규제가 많다
284	retention ★리보유, 리보유★ 우리 자기는 텐트를 보유하고 있어 션함을 유지한다
285	savor ★쎄맛음★ 쌔(새)콤한 맛, 벌처럼 톡 쏘는 맛 음미 하세요!

286	solidarity (연대)	★쌀연, 쌀연★
	쌀러대러티 연, 쌀러대러티 연	쌀을 대놓고
287	sovereign (주권의)	★싸주, 싸주★
	싸버륀 주, 싸버륀 주	싸서
288	resilience (회복력, 탄성)	★리회탄, 리회탄★
	뤼질리언스 회탄, 뤼질리언스 회탄	우리 질서 있는
289	stride (성큼 성큼 걷다)	★스성, 스성★
	스츄롸잇 성, 스츄롸잇 성	strike! 소리에
290	surveillance (감독, 감시)	★써감감, 써감감★
	써베일런스 감감, 써베일런스 감감	survey 일

291	sway (흔들다, 동요시키다)	★스흔동, 스흔동★
	스웨이 흔동, 스웨이 흔동	스웨덴을
292	sympathize (공감하다, 동정하다)	★씸공동, 씸공동★
	씸퍼싸이즈 공동, 씸퍼싸이즈 공동	심신의 안정?
293	migratory (이동하는)	★마이, 마이★
	마이그뤄토리 이, 마이그뤄토리 이	마, 이렇게
294	terrestrial (지상의)	★터지, 터지★
	터뤠스츄뤼어 지, 터뤠스츄뤼어 지	다리 털이
295	theoretical (이론적인)	★띠이, 띠이★
	띠어뤠티커 이, 띠어뤠티커 이	2만원을

296	tranquility (평정, 고요함)	★츄평고, 츄평고★
	츄뤵컬러티 평고, 츄뤵컬러티 평고	추운 냉기에
297	embark (승선하다, 시작하다)	★임승시, 임승시★
	임발크 승시, 임발크 승시	임씨야, 봐라
298	excavate (발굴하다)	★엑발, 엑발★
	엑스커베잇 발, 엑스커베잇 발	엑스레이로
299	afflict (괴롭히다)	★어괴, 어괴★
	어플릭트 괴, 어쁠릭트 괴	어플로
300	adjacent (이웃의, 인접한)	★어이인, 어이인★
	어줴이쓴 이인, 어줴이쓴 이인	어? 재

	스토리 암기법 (286~300) ♥스토리 암기법은 가장 강력한 암기법!♥
286	【쌀연】 쌀을 대놓고 연대해서 가져간다, 티 나게 solidarity
287	【싸주】 (비닐봉지에) 싸서 버린나? 주권 있는 나라에서는 그래야지 sovereign
288	【리회탄】 우리 질서 있는 선수들이 회복력과 탄성력도 좋다 resilience
289	【스성】 스츄라익(strike!)! 소리에 선수가 성큼성큼 걷는다 (야구장 이야기) stride
290	【써감감】 써베이(survey) 일 하는지 감시해라, 감독! * survey = 조사 surveillance
291	【스흔동】 스웨덴(Sweden)을 흔들고 동요시킨다 sway
292	【심공동】 심신의 안정? 그 사람이 퍽이나 공감하고 동정하겠다 sympathize
293	【마이】 마, (차) 이렇게 이동하면 토 나온다 (험악한 운전자 이야기) migratory
294	【터지】 다리 터리(털이) 지상에서 tree로 올라갔다고? really? terrestrial
295	【띠이】 2만원을 띠어(떼어) 간다고? 이론적으로는 맞는데, 띠껍다 theoretical
296	【츄평고】 츄(추)운 냉기에 평정과 고요함을 잃음 tranquility
297	【임승시】 임씨야, 봐라, 승선할 때 시작 버튼 눌러라! embark
298	【엑발】 엑스레이로 발굴 안 될 만큼 커? 커~참! (거~ 참) excavate
299	【어괴】 어플(application)로 (사람) 괴롭히는 Rick * Rick = 사람 이름 afflict
300	【어이】 어? 쟤 이웃집 Jay 아냐? 어이 없네, 인접한 곳에 살면서 (속상한 이웃집 이야기) adjacent

286	solidarity ★쌀연, 살연★ 쌀을 대놓고 연대해서 가져간다, 티 나게
287	sovereign ★싸주, 싸주★ 싸서 버린나? 주권 있는 나라에서는 그래야지
288	resilience ★리회탄, 리회탄★ 우리 질서 있는 선수들이 회복력과 탄성력이 좋다
289	stride ★스성★ 스츄라익(strike!)! 소리에 선수가 성큼성큼 걷는다
290	surveillance ★썰감감★ 써베이(survey) 일 하는지 감시해라, 감독!
291	sway ★스흔동★ 스웨덴(Sweden)을 흔들고 동요시킨다
292	sympathize ★씸공동, 씸공동★ 심신의 안정? 그 사람이 퍽이나 공감하고 동정하겠다
293	migratory ★마이, 마이★ 마, 이렇게 이동하면 토 나온다
294	terrestrial ★트지, 트지★ 다리 터리(털이) 지상에서 tree로 올라갔다고? Really?
295	theoretical ★띠이, 띠이★ 5만원을 띠어(떼어) 간다고? 이론적으로는 맞는데, 띠껍다
296	tranquility ★츄평고, 츄평고★ 츄(추)운 냉기에 평정과 고요함 잃음
297	embark ★임승시, 임승시★ 임씨야, 봐라, 승선할 때 시작 버튼 눌러라!
298	excavate ★엑발, 엑발★ 엑스레이로 발굴 안 될 만큼 커? 커~참! (거~ 참)
299	afflict ★어괴, 어괴★ 어플로 괴롭히는 Rick
300	adjacent ★어이인, 어이인★ 어? 쟤 이웃집 Jay 아냐? 어이 없네, 인접한 곳에 살면서

<글을 마치며>

이 책을 충분히 공부하신 후
책을 덮고 어떤 단어와 스토리가 떠오르는지
떠올려 보세요.

스토리 암기법은 가장 강력한 암기법, 이 말에 여러분도 동의하시나요?
만약 동의하신다면
여러분은 저와 같은 방향으로 영어 공부를 해나가는 사람들입니다.

여러분이 현재 어떤 상황이든, 어디 있든
영어를 잘하는 것은 여러분 인생에서 매우 훌륭한 무기가 될 것입니다.

도전하세요.
도전하세요.
도전하세요.

제가 여러분에게 꼭 하고 싶은 말은 바로 이것입니다.

영어를 잘하는 것에 도전하고,
영어를 이용해서 인생을 더 즐겁게 만드는 것에 도전하세요.

이 책이 여러분의 영어 단어 암기에 큰 전환점이 되기를 바랍니다.

읽어주셔서 감사합니다.

5초 영단어 암기법

발　행 | 2024년 1월 18일

저　자 | 영어 강사 Nick (박민영)

펴낸이 | 한건희

펴낸곳 | 주식회사 부크크

출판등록 | 2014.07.15.(제2014-16호)

주　소 | 서울시 금천구 가산디지털1로 119, SK트윈타워 A동 305호

전　화 | 1670-8316

이메일 | info@bookk.co.kr

ISBN | 979-11-410-6743-4

www.bookk.co.kr